Ce livre appartient à :

Casterman
Cantersteen 47
1000 Bruxelles

www.casterman.com

ISBN : 978-2-203-10737-3
N° d'édition : L.10EJCN000526.C003

© Casterman, 2016
Achevé d'imprimer en septembre 2017, en France par Pollina - 82269.
Dépôt légal : mars 2016 ; D.2016/0053/111
Déposé au ministère de la Justice, Paris (loi n°49.956 du 16 juillet 1949 sur les publications destinées
à la jeunesse).

martine

se déguise

d'après les albums de Gilbert Delahaye et Marcel Marlier

casterman

6

Ce matin, Martine reçoit
une lettre. Elle est invitée
à un bal costumé.

Quelle bonne nouvelle !

Mais comment se déguiser?

Maman propose d'aller
prendre conseil auprès de
Mademoiselle Hortense,
la couturière.

Super idée !

Mademoiselle Hortense est
costumière pour les acteurs
et les comédiens.

Robes, habits, et chapeaux
s'entassent dans sa boutique.
Martine supplie Maman d'y
aller tout de suite.

— Vous êtes à la bonne adresse, s'exclame la costumière à leur arrivée. J'ai de nombreux déguisements pour enfants. Venez les voir.

Maman aime bien le costume de jonquille. Mais Martine, elle, a repéré la belle jupe en satin d'un costume de tulipe.

— Comme elle est belle !
dit Martine en admirant
les perles qui la décorent.
J'hésite vraiment.

— Je vous prête les deux
costumes, dit Mademoiselle
Hortense. Vous n'aurez
qu'à décider tranquillement
chez vous.

— Que diriez-vous de
partager une tasse de chocolat
chaud avant de partir ?
propose la couturière. Un ami
comédien est justement là.

14

Martine est ravie, le vieux monsieur en habit de marquis la fait rire aux éclats.

De retour à la maison,
Martine monte dans sa
chambre pour essayer
les deux costumes.
Décidément, elle préfère
vraiment la jupe de tulipe !

Martine caresse doucement le satin, tourne, retourne et virevolte à travers la chambre. Soudain, elle remarque une déchirure dans le bas de la robe. « Mince ! Comment ai-je pu faire cela ? »

Martine s'en veut d'avoir
abîmé une si jolie robe.
Elle s'affole. **Vite, vite,**
il faut la raccommoder.
Elle va chercher sa boîte
à couture et s'applique
à recoudre la jupe.

Un peu plus tard, Maman
vient aux nouvelles.
— Tu as choisi ?
Honteuse, Martine cache
la boîte à couture.
— **Non,** j'ai changé d'avis.
Ces costumes ne me plaisent
plus. Je n'irai pas à la fête.
Maman est étonnée mais
ne dit rien.

Martine va rapporter
les déguisements chez
Mademoiselle Hortense.
Elle aimerait pouvoir lui
expliquer, mais elle a trop
envie de pleurer pour parler.
Alors elle dépose le paquet,
et s'en va sans rien dire.

Martine est triste. Elle n'a pas envie de rentrer chez elle. Mais voilà Clara en voiture avec son papa. Elle lui propose de la raccompagner à la maison. Martine n'ose pas refuser.

La voiture s'arrête devant
la maison. Maman est dans
le jardin.
— Mademoiselle Hortense
a téléphoné, dit Maman.
Ça y est.
Le drame.
Martine n'ose
plus bouger

Mais elle est étonnée de
voir Maman lui sourire. Elle
n'en croit pas ses oreilles :
— Tu lui as fait une gentille
surprise, elle est très
touchée de ton geste.
Quelle bonne idée d'avoir
réparé la négligence de la
petite fille qui avait abîmé
la robe.

— C'était qui ? demande
Martine.

— Je n'en sais rien. Tu n'as
pas entendu Mademoiselle
Hortense raconter l'histoire
pendant que nous buvions
le chocolat ?

Martine réalise

ce qu'il s'est passé.

Elle éclate de rire et raconte

toute la vérité à Maman.

— Je comprends mieux,

dit Maman. Je vais rappeler

Mademoiselle Hortense et
lui dire que nous prenons
le costume de tulipe,
finalement !

Maman court téléphoner.

Martine reste au jardin avec

Moustache et Patapouf.

Peut-être aura-t-elle même

le temps de leur coudre un

petit ensemble en satin

assorti à sa jupe ?

Titres disponibles

1. martine petit rat de l'opéra
2. martine un trésor de poney
3. martine apprend à nager
4. martine un mercredi formidable
5. martine la nouvelle élève
6. martine a perdu son chien
7. martine à la montagne
8. martine fait du théâtre
9. martine et la sorcière
10. martine en classe de découverte
11. martine se dispute
12. martine déménage
13. martine et le cadeau d'anniversaire
14. martine monte à cheval
15. martine la nuit de noël
16. martine est malade
17. martine fait les courses
18. martine drôle de chien
19. martine et les lapins du jardin
20. martine en bateau
21. martine à la mer
22. martine et les fantômes
23. martine au pays des contes
24. martine, princesses et chevaliers
25. martine à la maison
26. martine et les chatons
27. martine à la fête foraine
28. martine, l'arche des animaux
29. martine garde son petit frère
30. martine, la leçon de dessin
31. martine et le petit âne
32. martine fait du vélo
33. martine dans la forêt
34. martine et les marmitons
35. martine au cirque
36. martine en voyage
37. martine la surprise
38. martine baby-sitter
39. martine fait du camping
40. martine et le petit moineau
41. martine se déguise
42. martine protège la nature
43. martine fait de la musique
44. martine prend le train
45. martine en vacances
46. martine en montgolfière
47. martine au zoo
48. martine et le prince mystérieux
49. martine en avion
50. martine fête maman
51. martine à la ferme
52. martine et les quatre saisons
53. martine, vive la rentrée !
54. martine fait la cuisine
55. martine au parc
56. martine fait de la voile